Yo deseo...

por Amanda Díaz
ilustrado por Kate Flanagan

Harcourt

Orlando   Boston   Dallas   Chicago   San Diego

Visita *The Learning Site*
www.harcourtschool.com

—Qué libro tan bueno —dijo Nelia. Ella miró a los otros y suspiró.

—¿Qué tiene de bueno? —quiso saber M.J.

—Bueno, en este libro una niña que se sentía muy sola pide un deseo de encontrar un amigo, y su deseo se cumple. ¿No sería bueno que los deseos se cumplieran?

—Eso nunca pasaría —dijo Jim.
Estaba dibujando un vaquero con un
bigote.

—Tú no sabes eso —dijo Nelia.

—Jim tiene razón —dijo Bruce—. Los
deseos son para los cuentos inventados.

—Yo creo que los deseos se cumplen
—dijo Ellen—. ¿Por qué no?

—¿Quieres saber realmente por qué no?
—preguntó Pete—. Si los deseos se
cumplieran, nadie necesitaría nada.
Tendrían todo lo que quisieran con
solamente desearlo. Mira a tu alrededor.
¿Está pasando eso?

—Voy a pedir un deseo de todos modos
—dijo Jim—. Quisiera tener un lápiz verde.

Al día siguiente había un lápiz verde
sobre el escritorio de Jim. —¡Miren esto!
—exclamó—. ¡Mi deseo se cumplió!

Más tarde durante el día. M.J., Nelia,
Ellen y Bruce almorzaron juntos. Ellen
miraba a una niña que estaba comiendo
queso y galletas. —Quisiera comerme un
almuerzo como ese —dijo.

El siguiente día durante el almuerzo,
M.J., Ellen y Nelia se encontraron de
nuevo. Había una bolsa en la silla de
Ellen. Ella la abrió, y adentro encontró
queso y galletas. —¿Qué es esto?
—preguntó.

—¡Tu deseo! —dijo M.J.—. Esto se está
poniendo bueno. Emm... quisiera
comerme un pastelito de chocolate.

El siguiente día, M.J., Nelia, Bruce y
Pete almorzaron afuera.

—¡Qué día tan bello! —dijo Nelia. Ella
dio una vuelta de carro. Entonces
encontró un paquete en el suelo—. Mira
M.J. —dijo Nelia—. ¡Tiene tu nombre!

—Me gusta este cumplidor de deseos,
—dijo M.J. mientras se comía su pastelito
de chocolate.

—Bueno, es mi turno —dijo Bruce—. Deseo una pluma de oro.

—¿En serio? ¿De oro de verdad? —le preguntó Nelia con **seriedad**.

—De cualquier oro —contestó Bruce.

Al siguiente día, Bruce encontró una pluma pegada con cinta adhesiva encima de su escritorio.

—¿Es de oro de verdad? —preguntó M.J.

—No —contestó Bruce— pero es estupenda. Yo dije de cualquier oro, ¿no?

—Sí, —dijo M.J.—. Esto se ha convertido en un buen misterio.

Durante el recreo, Jim y Pete **sobrepasaron** al área más allá del césped. Nelia se unió a ellos. —¡Eh! —dijo—. ¿No están muy solos ahí tan lejos?

—No —dijo Jim—. Nos gusta. Estamos mirando estas plantas tan bonitas. Y todos se inclinaron para mirarlas. Parece una **colección.**

—Quisiera tener una lupa —dijo Pete—.
Así podría verlas mejor.

A la mañana siguiente, Pete encontró
una lupa en su escritorio. Tenía pegado
un sellito con una carita sonriente.

—¿Qué es esto? —le preguntó Pete a Jim—.
¿Alguien me dio esto?

—Debe ser el cumplidor de deseos —dijo Jim.

—¿Qué? —preguntó Pete.

—¿Te acuerdas cuando ayer querías una lupa para mirar las plantas detrás del campo de recreos? Bueno, alguien ha cumplido tu deseo —dijo Jim.

—Es mi turno de pedir un deseo —dijo
Nelia cerrando los ojos—. Yo deseo…
—abrió los ojos—. Voy a pedir algo muy
difícil. Entonces así sabremos si realmente
hay un cumplidor de deseos. Yo deseo un
lápiz con bolitas azules y un borrador
verde.

—Eso es difícil —dijo Pete con seriedad.

Al siguiente día, Nelia encontró un lápiz con bolitas azules y un borrador verde en su escritorio.

—¡Vaya! —dijo Pete.

Ella lo levantó para que todos lo pudieran ver. —No lo puedo creer —dijo sonriendo.

—Está bien —dijo Ellen con las manos en la cintura—. Ahora me estoy interesando. Alguien está haciendo esto. Apuesto que podemos averiguar quién es.

—¿Cómo? —preguntó Nelia.

—¡Yo sé! —dijo Bruce.

—Es fácil. ¡**Até** las pistas!

—¿Fácil? —preguntó M.J.

—Bueno, piensen —dijo Bruce—. Tiene
que ser uno de nosotros. Todo lo que
tenemos que hacer es averiguar quién
escuchó cada deseo. Cuando averigüemos
esto, sabremos quién ha hecho que
nuestros deseos se cumplan.

Jim miró hacia arriba. —Creo que sé
quién es —dijo.